Au sein de ma mère

Nom : SERRE
Prénoms : Claude, Marcel, Louis
Date de naissance : 10.11.38 à
Sucy-en-Brie
Poids à la naissance : 3,900 kg
Taille à la naissance : 50 cm

Si l'enfant avait continué de croître
au même rythme que pendant la
période de sa gestation jusqu'à 20
ans (âge en principe limite de
croissance) il devrait selon toute
logique, peser 869 kg et mesurer
13,20 m; or, il n'en est rien.
A ce jour, à l'âge de 44 ans, aussi
bizarre que cela puisse paraître, le
dessinateur SERRE ne pèse que
58 kg (et encore pas tous les jours)
et ne dépasse même pas 1,72 m.

Conclusion : ou son alimentation,
depuis sa naissance, lui a été
nettement moins profitable qu'au
cours de la période de sa gestation,
et dans ce cas, SERRE n'aurait
peut-être jamais dû quitter
l'enveloppe maternelle, ou bien
depuis ses 20 ans, il a beaucoup
maigri et s'est considérablement
voûté. A part cela, je peux certifier
que mon patient est environ en
parfaite santé à ce jour.

*Le Dr G. SARAF, médecin et
néanmoins ami de la famille.
Certificat de complaisance fait au
Grand Bréau le 11/11/82.*

Photo Ludovic Serre

SERRE
LA BOUFFE

EDITIONS Glénat

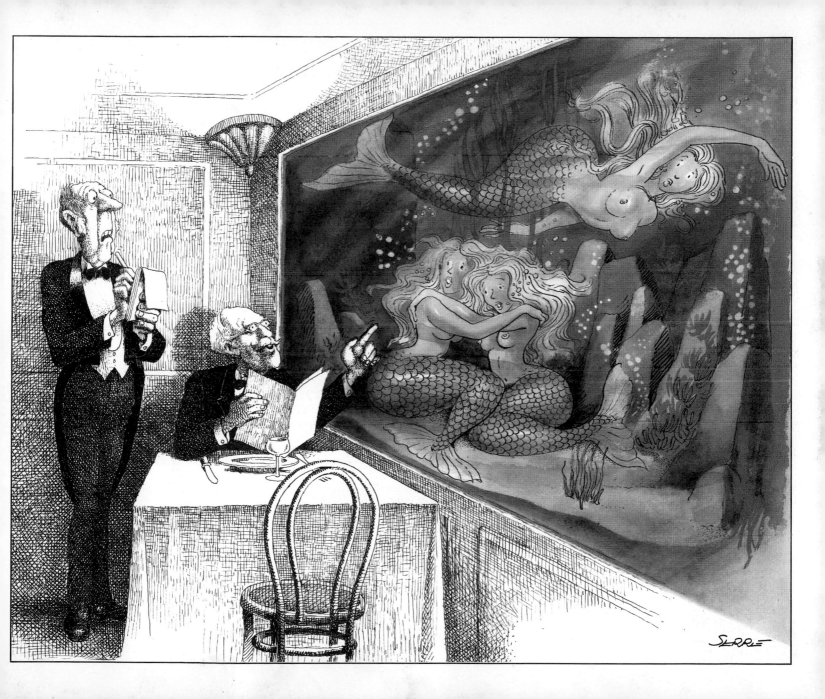

LA VENUS
de
GAULT
MILL

SERRE

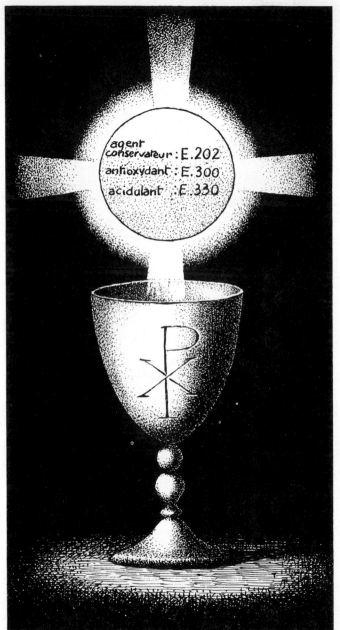

agent
conservateur : E.202

antioxydant : E.300

acidulant : E.330

SERRE

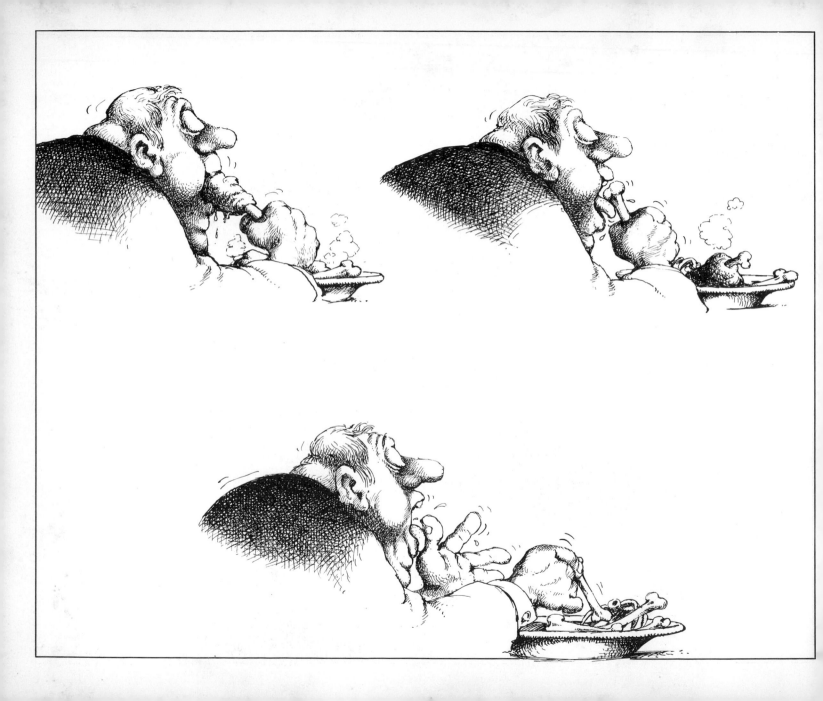

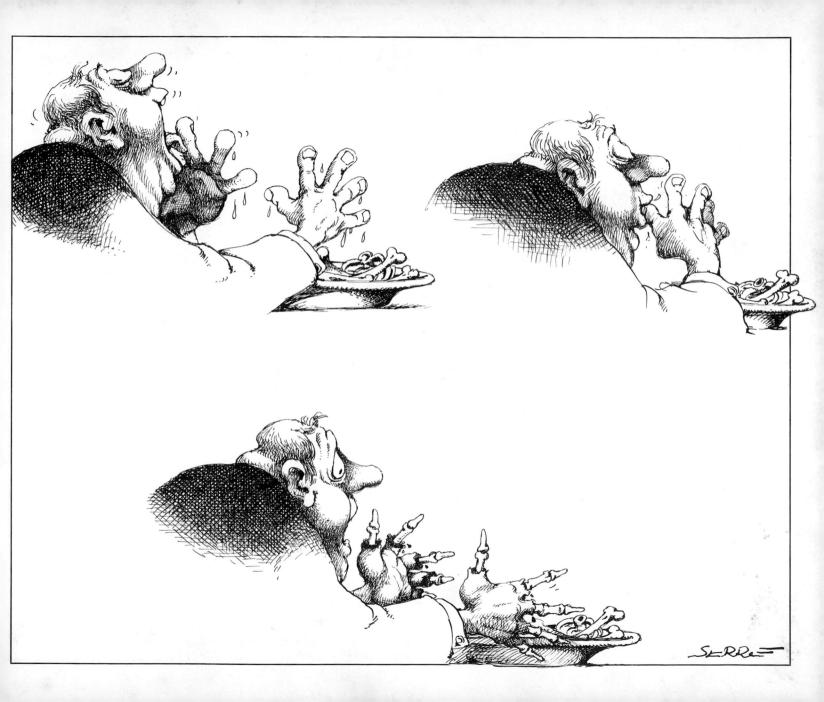

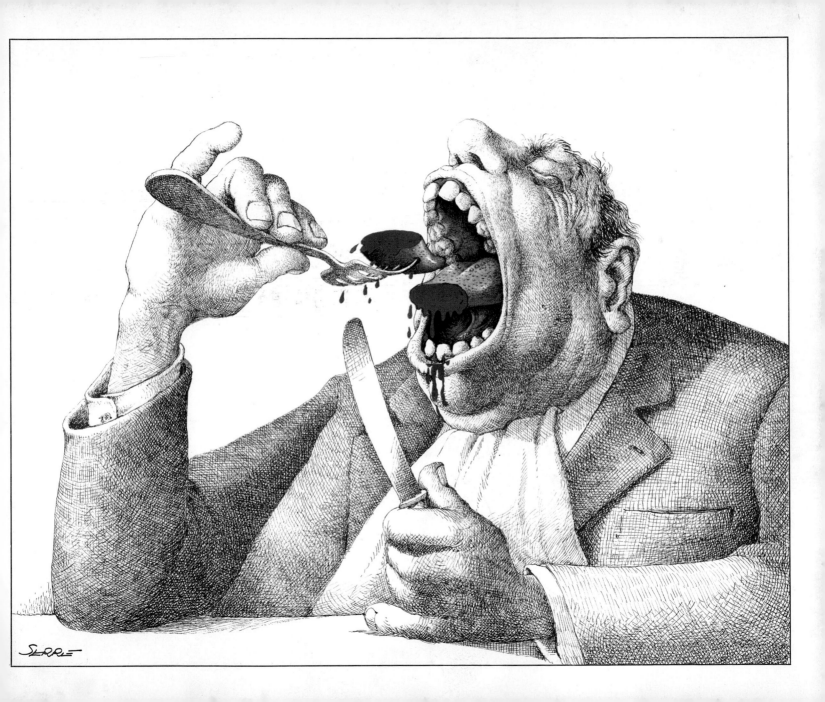

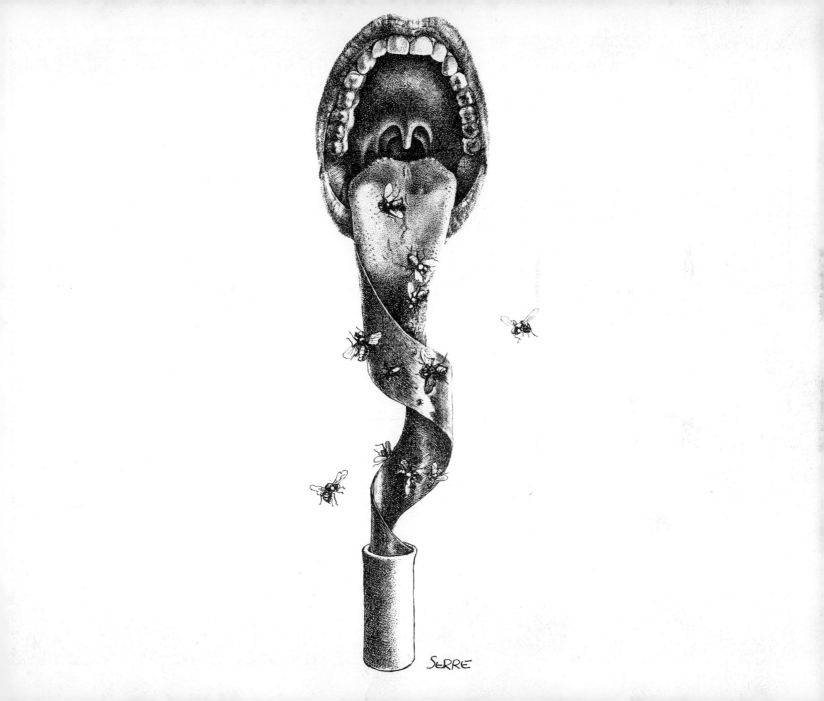

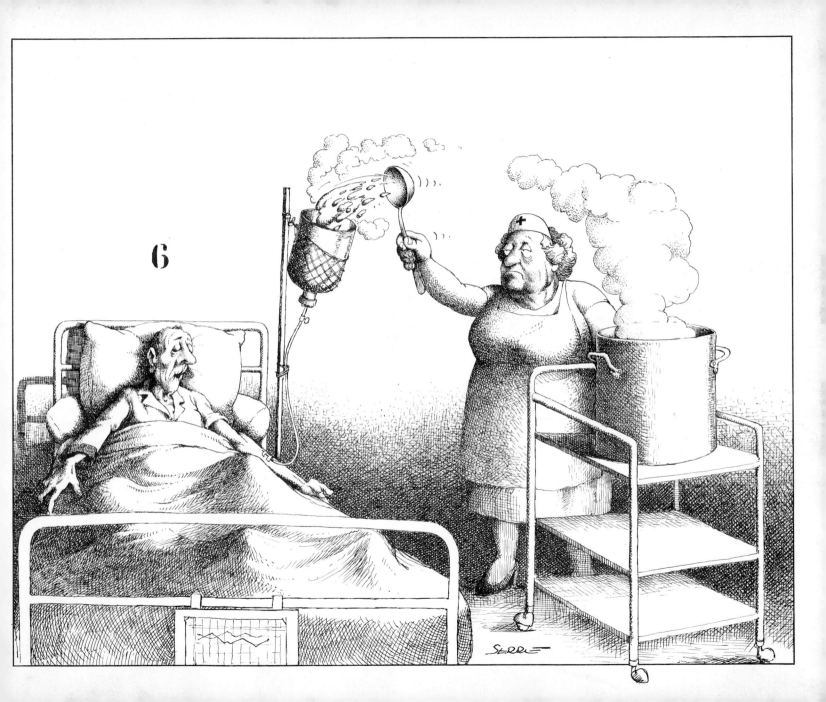

LIGUE POUR
LA FIN
DE LA FAIM

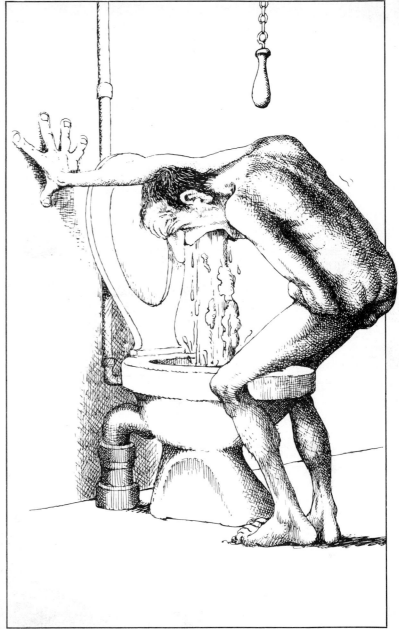

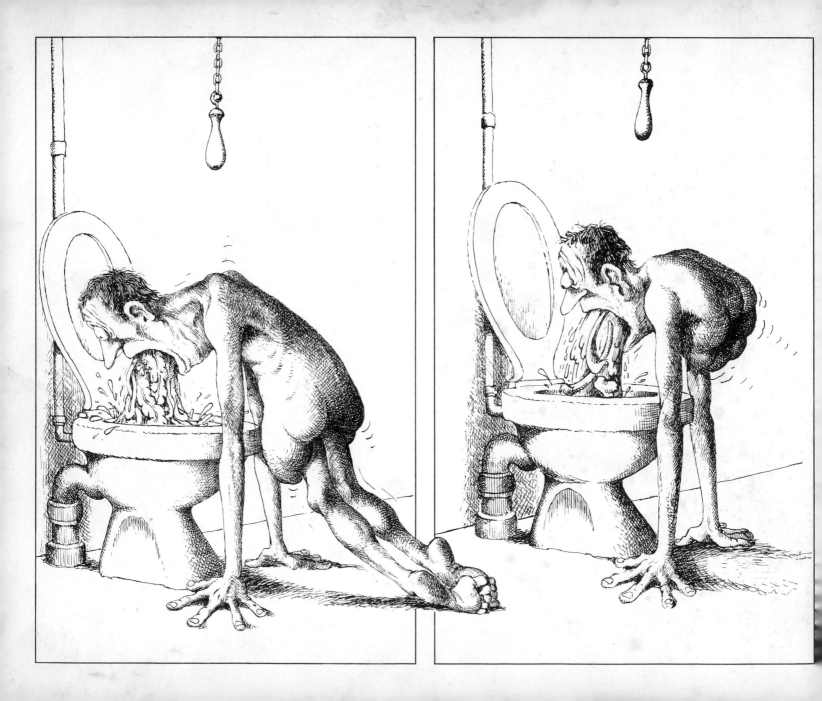

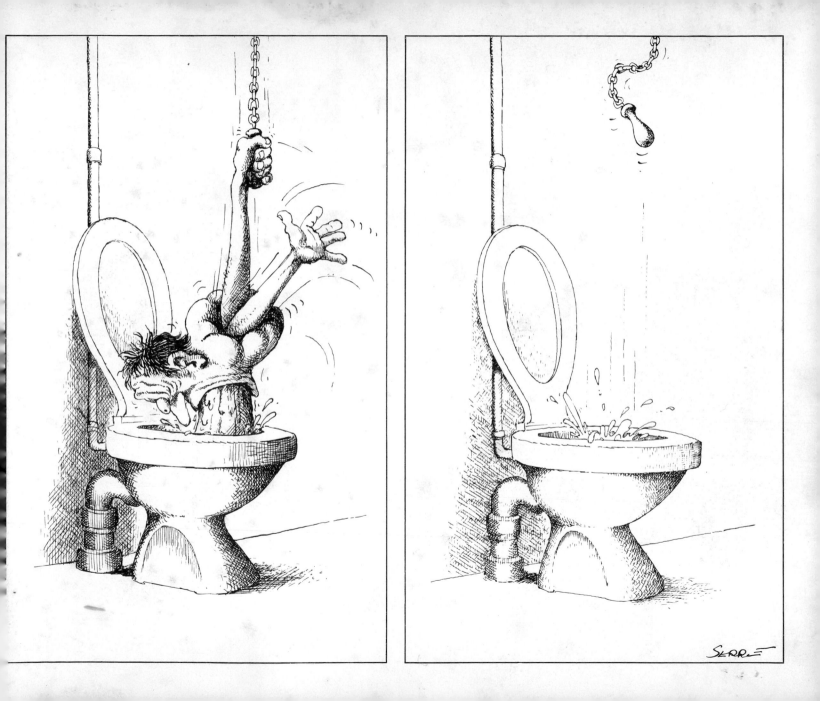